Ты только прислушайся

written by Phillis Gershator
illustrated by Alison Jay

Russian translation by Dr Lydia Buravova

Ты только прислушайся… что там за звук? Жучки-паучки стрекочут вокруг.

Listen, listen … what's that sound? Insects singing all around!

Жу-жу-жу, зз-зз-зз, скрип-скрип, фр-фр, стук-стук.

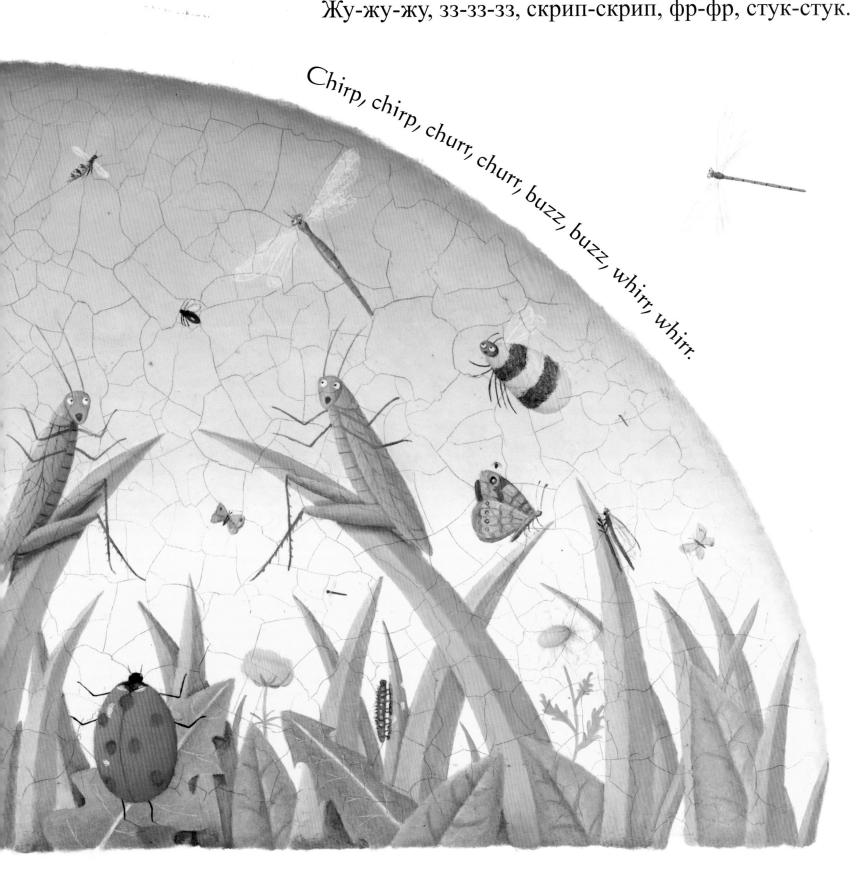

Chirp, chirp, churr, churr, buzz, buzz, whirr, whirr.

Шумит листва, скрипят гамаки. Плещутся дети, шумят у реки.

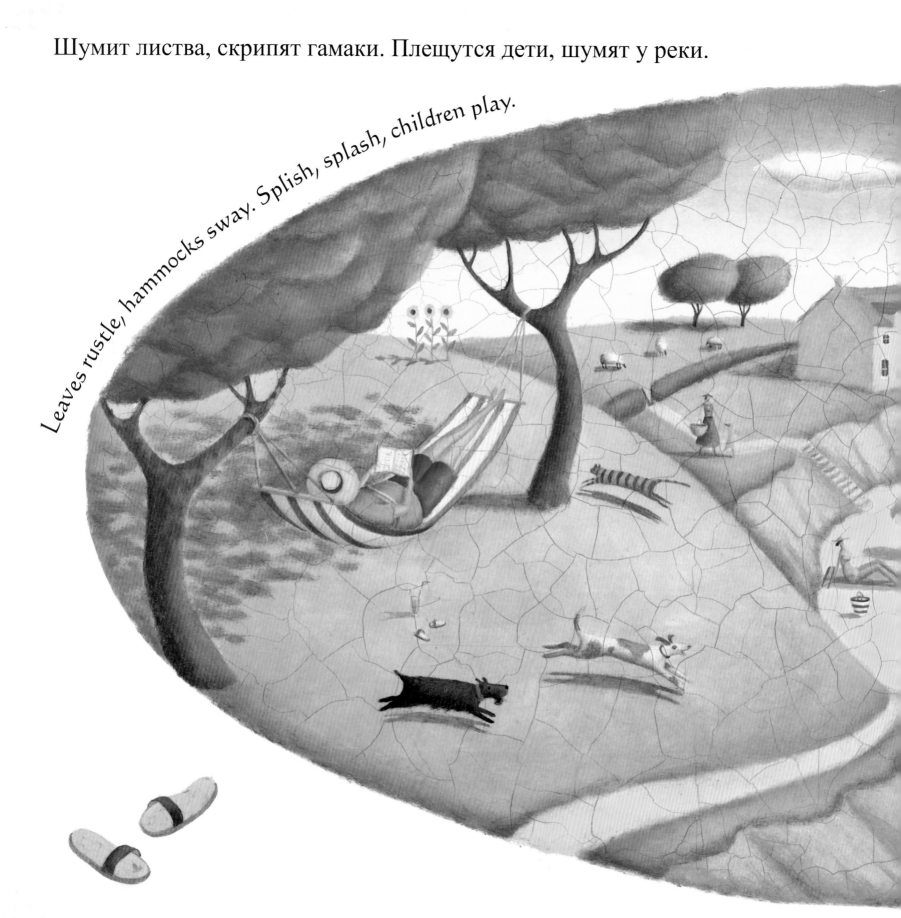

Плывут облака, собака бежит. Пш-пш, солнце жаром палит.

Clouds drift, dogs run. Sizzle, sizzle, summer sun.

Ты только прислушайся… лето уходит. Прощайте, жучки, вот и осень приходит.

Listen, listen ... summer's gone.
Good-bye insects, autumn's come.

Шлеп да шлеп, град из желудей. Что же вы, белки, ловите скорей!

Plop, plop, acorns drop.
Hurry, scurry, squirrels hop.

Тыквы созрели, оп-оп! Яблоки, зёрнышки – хлоп-хлоп!

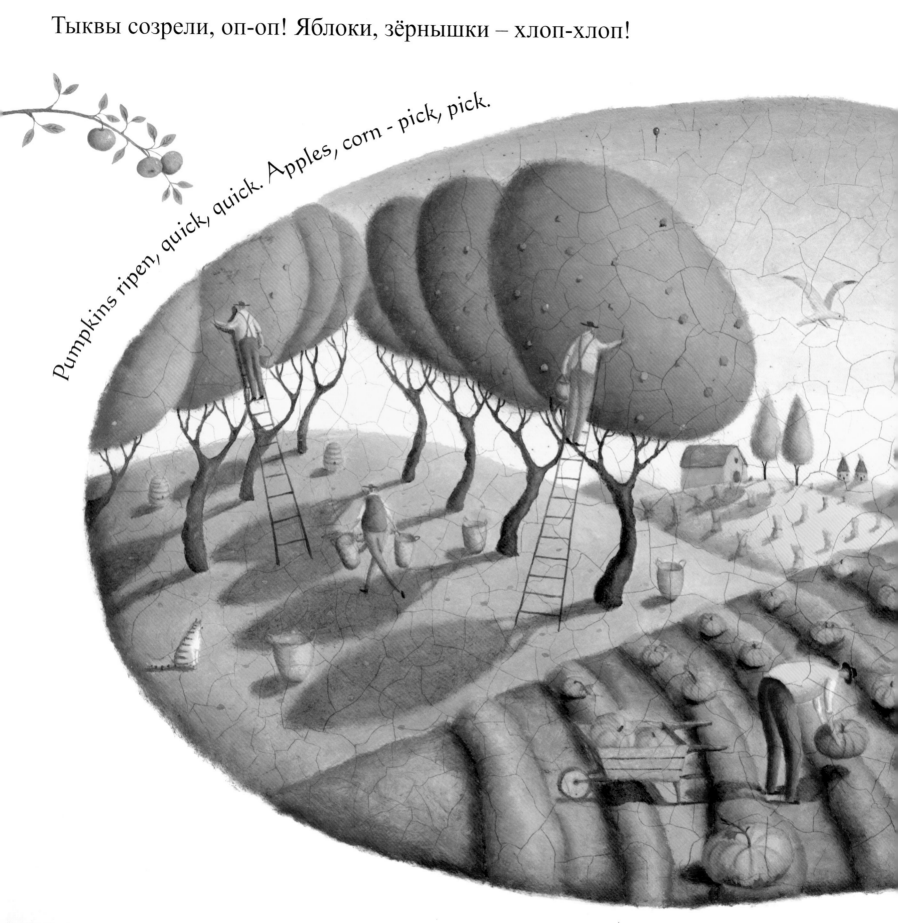

Pumpkins ripen, quick, quick. Apples, corn - pick, pick.

Стук – стук, каблуки стучат. А-А, чайки кричат.

Crunch, crunch, people walk. Aak, aak, seagulls squawk.

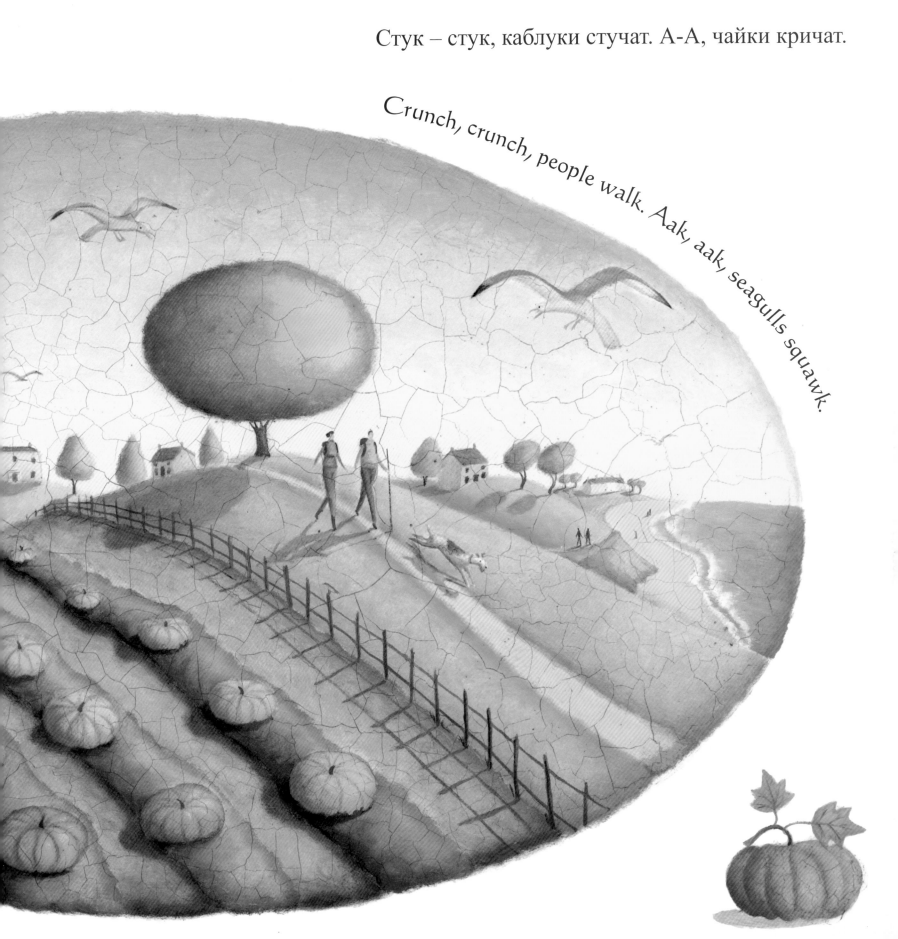

«Га-га-га» гуси зазывают. «Шур-шур-шур» листва опадает.

Honk, honk, geese call. Swish, swish, leaves fall.

Вжих, по ветру шляпы летят. «Ух-ух» совы кричат.

Whoosh, whoosh, hats fly. Whoo, whoo, owls cry.

Ты только прислушайся… осень прошла. Шепчут снежинки: «Зима – весела».

Listen, listen … autumn's gone. Snowflakes whisper, "Winter's fun."

Тсс-тсс, ночь снежна. Снежный покров освещает луна.

Shhh, shhh, snowy night. Snow sparkles, white, bright.

Топ-топ, ботинки стучат. Взрослые трудятся, дети шалят.

Crunch, crunch, boots clomp. Grown-ups shovel, children romp.

Кружись на коньках, на лыжах мчись. Вжих-вжих, скользи, веселись.

Skaters spin, skiers glide. Zip, zoom, slip, slide.

Бр-бр, скорей в тепло. Свечи горят – тепло и светло.

Brrr, brrr, warm-up time. Ooh, aah, candles shine.

Мур-мур, кошки урчат. А из камина искры летят.

Purr, purr, cats gaze. Crackle, crackle, fires blaze.

Ты только прислушайся… ушла зима. Зяблики свищут: «Солнце, ура!»

Listen, listen … winter's gone. Finches whistle, "Here's the sun!"

Чпок-чпок, ростки пробились. Листочки раскрылись, цветы распустились.

Pop, pop, bulbs sprout. Leaves grow, flowers shout.

Хрусть-шмяк, скорлупки трещат. «Пи-пи-пи» цыплята пищат.

Crick, crack, babies hatch. Peep, peep, chickens scratch.

«Ква-ква-ква» поют лягушата, «кря-кря-кря» кричат утята.
«Хрум-хрум» жуют зайчата.

Frogs croak, ducklings quack. Munch, munch, rabbits snack.

Вот и дождик, кап-кап-кап. «Чирик-чирик» воробьи шумят.

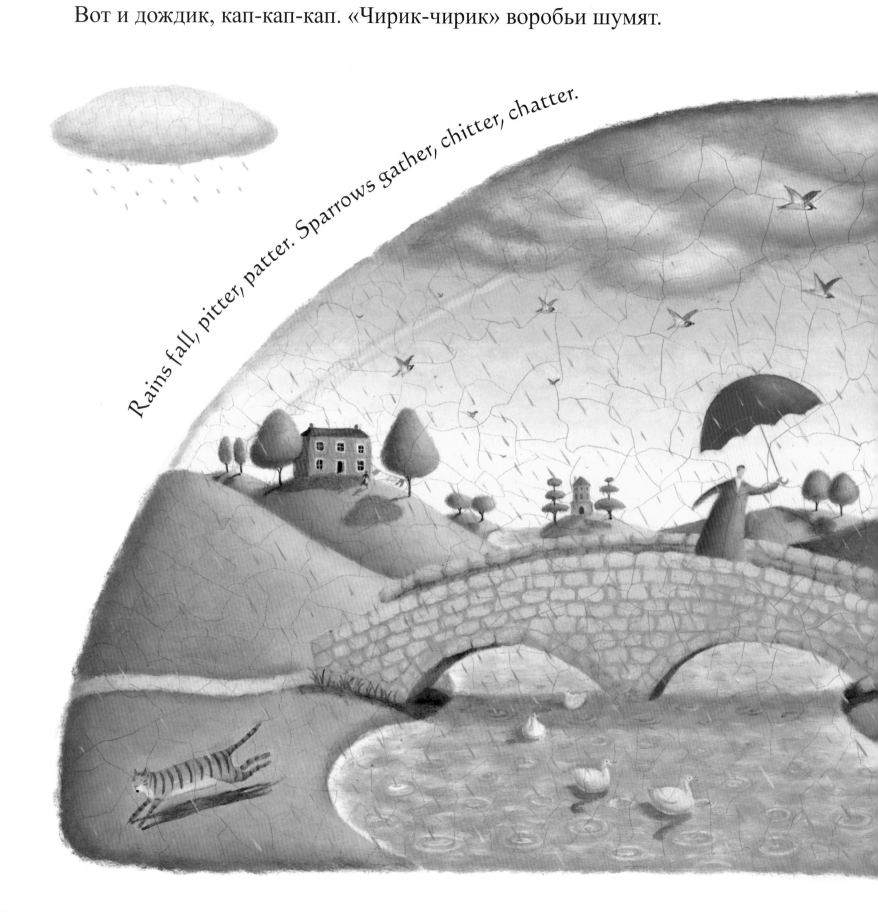

Rains fall, pitter, patter. Sparrows gather, chitter, chatter.

Ты только прислушайся… весна позади. И снова – лето впереди.

Listen, listen … spring is gone. Another season has begun.

Днем или ночью, повсюду, вокруг. Сколько же звуков ты слышишь, мой друг?

In the air, on the ground, night and day - what's that sound?

Ты только прислушайся… вот оно, лето и…

Listen, listen … after spring, summer comes and …

Снова стрекочут жучки-паучки!

Insects sing!

Жу-жу-жу, зз-зз-зз, скрип-скрип, фр-фр, стук-стук.

Chirp, chirp, churr, churr, buzz, buzz, whirr, whirr.

In the summer, can you see

a cricket

a butterfly

a mosquito

a bee

a dragonfly

a grasshopper

a beetle

a sunflower

a daisy

a leaf?

In the autumn, can you see

an owl

a goose

an acorn

an apple

a squirrel

a stalk of wheat

a pumpkin

an ear of corn

a seagull

a leaf?

In the winter, can you see

a crow

a mouse

a starling

a paw print

a holly berry

an icicle

a snowflake

a leaf?

a sprig of mistletoe

In the spring, can you see

a tulip

a daffodil

a bluebell

a sparrow

a rainbow

a rabbit

a frog

a duckling

a chick

a leaf?

What sounds do these animals make?

Information

Rhyme